Frédéric
BRREMAUD

Federico
BERTOLUCCI

Les petites HISTOIRES

DE LA JUNGLE

Petit Pierre & Ieiazel

IMPRIM'VERT®

© 2015 Éditions CLAIR DE LUNE
www.editionsclairdelune.fr
http://editionsclairdelunebd.blogspot.com/
Stylique : Federico BERTOLUCCI & Pierre LEONI
Dépôt légal : janvier 2015 · ISBN : 978-2-35325-673-0
Première Édition
Imprimé en France par Caractère / Reliure Sirc

C'EST BIEN MA VEINE !... PARTIR AU BOUT DU MONDE ET ME RETROUVER AU MILIEU DES MOUSTIQUES... MES PIRES ENNEMIS !

QUE VEUX-TU ? CHACUN SE NOURRIT COMME IL PEUT...

MAIS IL Y A PIRE QU'EUX, CROIS-MOI !

PIRE QUE CES SUCEURS DE SANG ? IMPOSSIBLE !

ET POURTANT... LA MYGALE N'ATTAQUE PAS SOUVENT, MAIS UNE PIQÛRE DE MOUSTIQUE, COMPARÉE À SON VENIN, EST COMME UNE TAPETTE SUR LA JOUE !

MAIS POURQUOI J'AI ACCEPTÉ DE TE SUIVRE DANS CETTE DRÔLE D'AVENTURE ?!

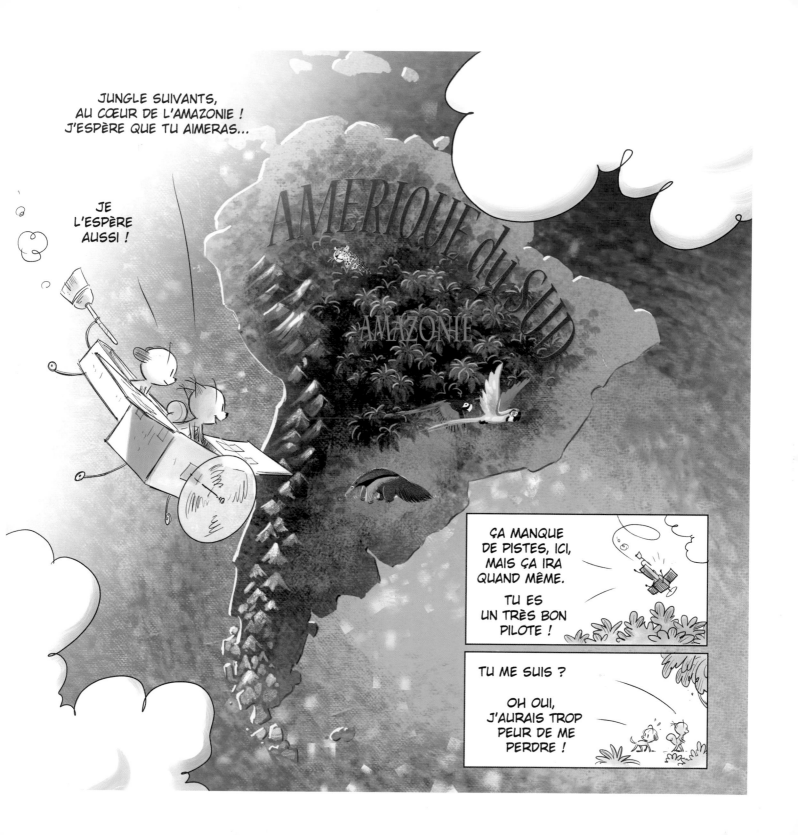

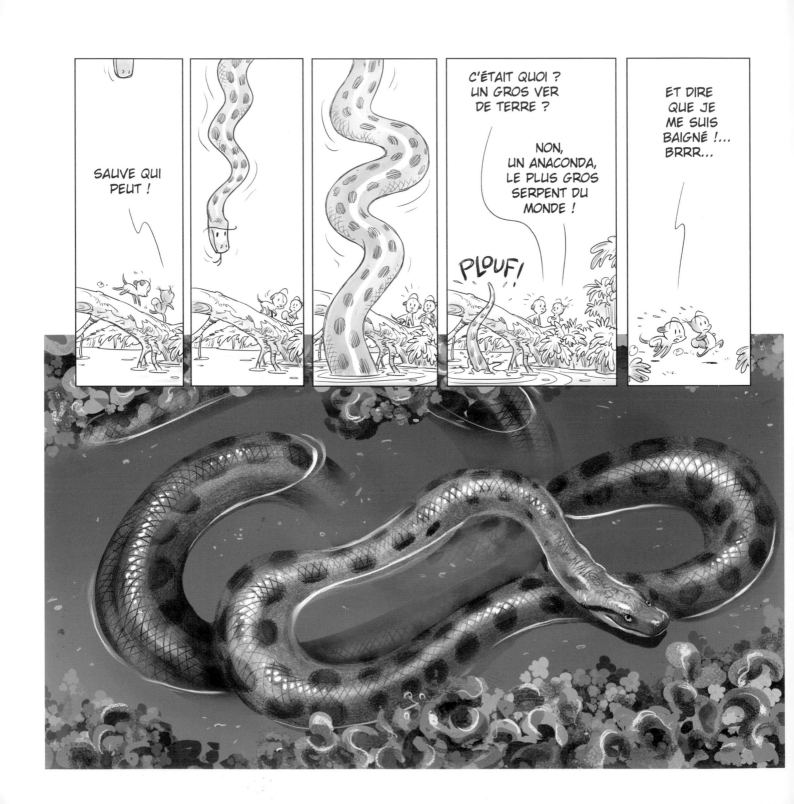

ET SI ON S'INTÉRESSAIT AUX ANIMAUX D'UNE AUTRE JUNGLE ?

TU CROIS QU'UN PETIT SERPENT DE RIEN DU TOUT SUFFIT À ME TERRORISER ?

NON, NON, ET NON !... ON TERMINE LA VISITE !

RÔÔÔAAAR!

OUPS, UN JAGUAR !

OUBLIE CE QUE JE VIENS DE DIRE... ON A TROP TRAÎNÉ ICI !

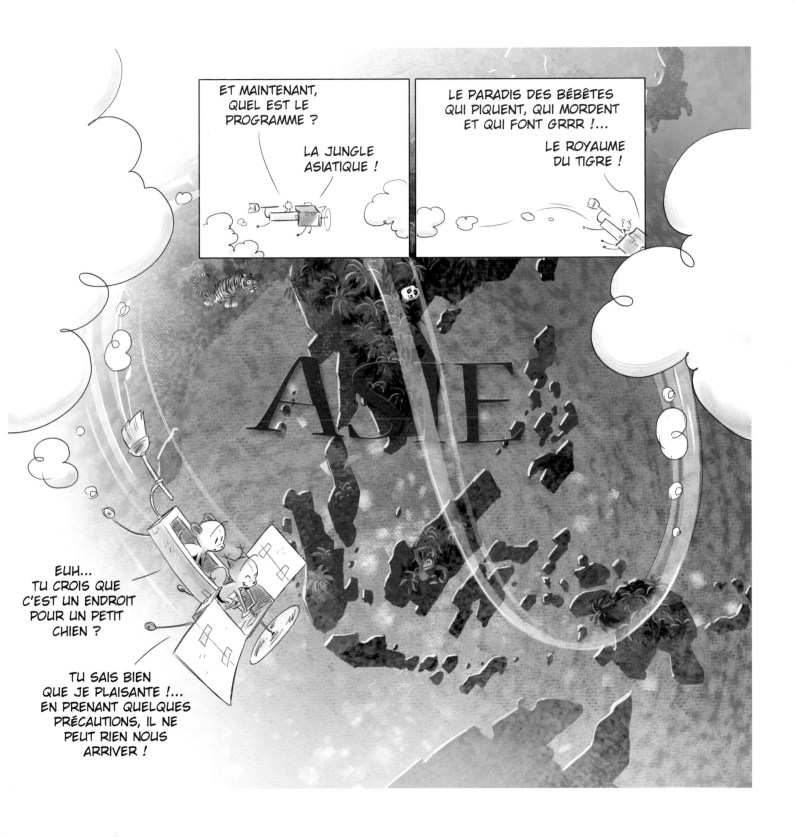

COURS!

SAUTE !

C'EST QUOI,
CE SINGE ?

UN GIBBON ! UNE
ESPÈCE D'ACROBATE
QUI PRÉFÈRE RESTER EN
HAUT DES ARBRES !

BIEN
MALIN QUI PEUT
L'ATTRAPER !

ON PEUT Y ALLER, ELLE S'EST ÉLOIGNÉE... HOP !

HEY...?! ÇA TREMBLE !

?!

ÇA ALORS, ON EST SUR LE DOS D'UN ÉLÉPHANT !

HÉ HÉ.. COMME VÉHICULE, IL N'Y A PAS PLUS SÛR !

LE TOUCAN

LE TOUCAN EST D'UNE GRANDE BEAUTÉ, MAIS SON BEC AUSSI VOLUMINEUX, N'EST-IL PAS TROP LOURD ? EH BIEN NON, IL EST CREUX ET COMME NOS ONGLES, IL EST EN KÉRATINE ! TRÈS FARCEUR, LE TOUCAN S'EN SERT AUSSI POUR JOUER AVEC SES AMIS, UN PEU COMME NOUS QUAND ON FAIT DE L'ESCRIME AVEC UNE BAGUETTE DE PAIN... INUTILE D'AVOIR PEUR, SON BEC EST SI LÉGER QU'IL NE SE FAIT JAMAIS MAL !

LE SINGE HURLEUR

LE SINGE HURLEUR EST CONSIDÉRÉ COMME L'ANIMAL LE PLUS BRUYANT. ON ENTEND SON CRI À DES KILOMÈTRES, ET C'EST POUR LUI UNE FAÇON DE COMMUNIQUER ET DE DÉFENDRE SON TERRITOIRE. LORSQU'IL EST EN DANGER, IL SE MET À CRIER ET S'ENFUIT EN JETANT SES EXCRÉMENTS SUR SES ATTAQUANTS !... AVOIR MAL AUX OREILLES ET SENTIR LE CACA... NON, VRAIMENT, CE N'EST PAS FACILE TOUS LES JOURS D'ÊTRE UN PRÉDATEUR !

LE JAGUAR

LE JAGUAR EST UN GROS CHAT DONT LE POIDS ATTEINT TOUT DE MÊME 120 KG... IL AIME CHASSER SUR LES RIVES DES FLEUVES, ET DANS LA LANGUE DES INDIENS TUPI-GUARANI, JAGUAR VEUT DIRE « LA BÊTE QUI TUE SA PROIE D'UN BOND ».

JE CHERCHE LE SENS DU MOT « TOUTOU » DANS LA LANGUE DES INDIENS !

À MON AVIS, ÇA DOIT VOULOIR DIRE « GENTIL CHIEN CHIEN QUI DORT DANS SON PANIER »...

LA PANTHÈRE NOIRE

CONTRAIREMENT À CE QUE L'ON A TENDANCE À CROIRE, LA PANTHÈRE NOIRE EST UN LÉOPARD COMME UN AUTRE. ELLE A AUSSI DES TACHES, MAIS À CAUSE D'UNE ANOMALIE DE PIGMENTATION QUI LUI DONNE CETTE COULEUR NOIRE, ON NE LES DISTINGUE PAS. IL ARRIVE D'AILLEURS QU'UNE MAMAN LÉOPARD AIT DANS LA MÊME PORTÉE DES PETITS TACHETÉS ET D'AUTRES TOTALEMENT NOIRS.

LE PARESSEUX

LE PARESSEUX, GRÂCE À DEUX VERTÈBRES DE PLUS QUE LES AUTRES MAMMIFÈRES, A L'UN DES COUS LES PLUS SOUPLES DE LA PLANÈTE. COMME LA CHOUETTE, OU PRESQUE, IL PEUT VOIR DANS SON DOS. TRÈS LENT ET TOUJOURS AGRIPPÉ AUX ARBRES, IL NE DESCEND QUE POUR FAIRE SES BESOINS. HEUREUSEMENT, IL DIGÈRE AUSSI TRÈS LENTEMENT, ET NE DOIT PAS DESCENDRE TOUTES LES CINQ MINUTES !

TU TE RENDS COMPTES ? LE PARESSEUX DORT 19 HEURES PAR JOUR !

L'ÉLÉPHANT D'ASIE

L'ÉLÉPHANT D'ASIE EST PLUS PETIT QUE SON COUSIN AFRICAIN, LE PLUS GROS ANIMAL TERRESTRE. ON LE RECONNAÎT AUSSI À SES OREILLES, PLUS PETITES. IL AIME SE PROMENER DANS LA FORÊT, À LA RECHERCHE DES MEILLEURES PLANTES À DÉVORER, ET IL VIT EN GROUPE, GUIDÉ PAR UNE FEMELLE ANCIENNE. FORCÉMENT, GRÂCE À SON GRAND ÂGE, ELLE A EN MÉMOIRE TOUS LES SENTIERS...

LE TIGRE EST LE PLUS GROS DE TOUS LES FÉLINS. IL PEUT MESURER JUSQU'À 3 MÈTRES DE LONG ET PESER JUSQU'À 360 KG... SES RAYURES, SI ELLES SONT JOLIES, LUI SONT SURTOUT TRÈS UTILES POUR SE CAMOUFLER. PRÉSENT UN PEU PARTOUT EN ASIE, ON DÉNOMBRE PLUSIEURS SOUS-ESPÈCES : LE TIGRE DU BENGALE, L'EMBLÈME NATIONALE DE L'INDE ET DU BANGLADESH ; LE TIGRE DE CORBETT, DANS LE SUD-EST ASIATIQUE ; LE TIGRE DE SUMATRA, SUR L'ÎLE INDONÉSIENNE DU MÊME NOM ; LE TIGRE DE XIAMEN, PLUS PETIT, EN CHINE ; LE TIGRE DE SIBÉRIE, LE PLUS GRAND DE TOUS. D'AUTRES SOUS-ESPÈCES ONT MALHEUREUSEMENT DISPARU AUJOURD'HUI.

EN RAISON DE LA COHABITATION AVEC L'HOMME QUI LE CHASSE ET LA DIMINUTION DE SON ESPACE VITAL, LE TIGRE EST MENACÉ D'EXTINCTION. C'EST D'AILLEURS POUR ÉVITER UNE TELLE CATASTROPHE QUE DES ASSOCIATIONS MONTENT DES OPÉRATIONS DE SAUVEGARDE DU TIGRE. ON PENSE NOTAMMENT À PLANÈTE TIGRE, DONT L'ACTION VISE À SENSIBILISER LES POPULATIONS LOCALES SUR LA NÉCESSITÉ DE PROTÉGER CE SI BEL ANIMAL !...

POUR REJOINDRE L'ASSOCIATION, C'EST TRÈS SIMPLE, IL Y A TOUTES LES INFORMATIONS NÉCESSAIRES SUR INTERNET...

ASSOCIATION PLANÈTE TIGRE BP 33 21 240 TALANT
SITE: HTTP://WWW.PLANETE-TIGRE.ORG/
FACEBOOK: HTTPS://WWW.FACEBOOK.COM/PLANETETIGRE